Junie B. en primer grado es un espectáculo

BARBARA PARK

Junie B. en primer grado es un espectáculo

ilustrado por Denise Brunkus

SCHOLASTIC INC.

New York Toronto London Auckland Sydney
Mexico City New Delhi Hong Kong Buenos Aires

A la talentosa Denise Brunkus...
que dibuja a Junie B. con estilo,
con viveza y, sobre todo, con sentido del humor.
Qué regalo tan maravilloso.

Originally published in English as *Junie B., First Grader: One-Man Band*
Translated by Aurora Hernandez.

ISBN 13: 978-0-545-01447-2
ISBN 10: 0-545-01447-6

Text copyright © 2003 by Barbara Park
Illustrations copyright © 2003 by Denise Brunkus
Translation copyright © 2007 by Scholastic Inc.

12 11 10 9 8 7 6 5 4 3 2 1   7 8 9 10 11/0

Printed in the U.S.A.
First Spanish printing, September 2007

NOTA DEL EDITOR: Al igual que en la versión original en inglés, los
errores gramaticales y de uso de algunas palabras que aparecen en el libro
son intencionales y ayudan al lector a identificarse con el personaje.

Contenido

1

Patadas de vaca

Lunes

Querido diario de primer grado:
¡UN CAMPEONATO DE FUTBOL! ᶠᵁᵀᴮᴼᴸ
¡UN CAMPEONATO DE FUTBOL! ᶠᵁᵀᴮᴼᴸ
¡Todo el primer grado va a tener un CAMPEONATO DE FUTBOL! ᶠᵁᵀᴮᴼᴸ
Mi maestro nos dio la ~~notisia~~ ⁿᵒᵗⁱᶜⁱᵃ la semana pasada. ¡Y no puedo dejar de pensar en eso! Nuestras familias van a venir y todo.

1

Llevo practicando toda la semana a dar patadas después de la escuela.

Puedo dar patadas altas y bajas. Rápido y despacio. Adelante y atrás. A favor y en contra.

Cuando sea mayor voy a tener mi propio programa de la tele de dar patadas.

De,

Junie B. de primer grado

Sonreí con esa idea.

Luego me asomé por un lado de mi mesa. Y *intenté* mover mi dedo gordo del pie.

Me dolía.

Eso es porque ayer tuve un problemita cuando practicaba en el jardín. Y es que sin querer di una patada y la pelota se fue al otro lado de la valla. Y yo no quería ir a recogerla. Así que busqué otra cosa para patear.

Y entonces, ¡ja!

¡Vi la regadera nueva de mamá!

La que tiene una vaca pintada.

¡Y estaba justo en medio del jardín!

¡Me reí mucho al ver ese blanco tan fácil!

—¡Seguro que puedo mandar a esa vaca tonta hasta la luna! —dije.

Entonces me froté las manos emocionada.

Me alisté a correr desde la valla.

Y ¡*BUM!*

¡Salí zumbando!

¡Corrí cada vez más rápido!

3

Y ¡CATAPLÚN!

¡Le pegué una patada lo más fuerte que pude! Y ¡AY AY AY!

La tonta de la regadera estaba llena de agua. ¡Y nadie me había contado ese detalle!

Caí en el pasto con mucho dolor.

Y me retorcí dando vueltas y vueltas. Y comencé a gritar.

—¡MI DEDO! ¡MI DEDO! ¡MI DEDO! —grité—. ¡MI DEDO! ¡MI DEDO! ¡MI DEDO!

Mamá se asomó a la puerta.

—¡Junie B.! ¡Dios mío! ¿Qué ocurre? —dijo.

—¡MI DEDO! ¡MI DEDO ESTÁ MAL! ¡911! ¡911! —grité.

Mamá salió corriendo de la casa y me quitó el zapato y el calcetín. Y me miró el dedo.

—¡AY AY AY! —volví a gritar.

Mamá me abrazó.

—¿Qué hiciste para hacerte tanto daño? —preguntó—. ¿Te tropezaste con una piedra o algo así?

Tragué saliva.

Porque no quería contarle que le había dado una patada a la regadera.

Mamá esperó a que contestara.

Entonces, muy despacio, sus ojos le echaron un vistazo a la vaca.

Tenía una abolladura gigante en la cabeza.

Y su nariz tampoco parecía muy normal.

Mamá frunció el ceño.

—¿Junie B.? —dijo muy sospechosa—. ¿Qué ha pasado aquí?

La miré muy impresionada.

Esa mujer es más lista que el hambre.

Al final suspiré. Y le conté lo que había pasado.

—Lo que pasa es que no es mi culpa, mamá —dije—. De verdad que no. Porque primero estaba practicando a dar patadas. Y luego la pelota se fue al otro lado de la valla. ¿Y qué iba a hacer? ¿Dar patadas al aire?

6

Levanté los dos pulgares.

—¡Pero llegaron buenas noticias! —dije—. Porque entonces vi la regadera de la vaca. ¡Y salí a toda velocidad! ¡Y la pateé todo lo fuerte que pude!

»Pero peor para mí. Porque la cosa tonta esa estaba llena de agua. Y ahora mi dedo gordo está despachurrado.

Pensé durante un minuto.

Luego puse las manos en mi regazo muy mona.

—Fin —dije.

Mamá no parecía estar muy contenta.

—Fíjate qué cosas. Una regadera llena de agua. Qué raro, ¿no? —dijo.

A eso se le llama ser sarcástica. Creo.

Después de eso, mamá me llevó adentro. Y llamó al doctor. Y el doctor me dijo que pusiera el pie sobre una almohada y lo mantuviera en alto y con hielo.

¿Y sabes qué?

Que al principio me sentí mejor.

Pero esta mañana cuando me vestí, me dolió cuando intenté ponerme el zapato. Y entonces, aunque hacía frío afuera, mamá dijo que podía llevar sandalias a la escuela.

Y esa es la razón por la que estaba

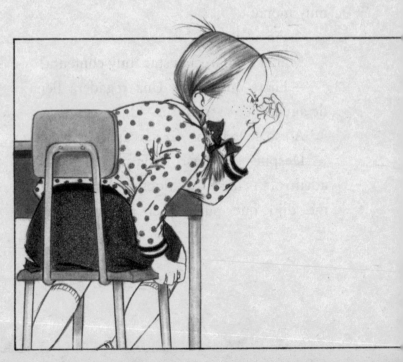

mirándome el dedo. Para ver si estaba mejor.

Cerré mi diario sin hacer ruido. Después me agaché y me toqué el dedo con mucho cuidado.

May, que se sienta justo a mi lado, puso cara de asco.

—No deberías tocarte los pies, Junie Jones —susurró—. Porque eso es lo que hace la gente asquerosa.

Le saqué la lengua a la niña esa.

Me molestan sus comentarios.

Después de eso, me volví a sentar bien. Y puse mi diccionario de primer grado encima de mi diario.

Luego apoyé la cabeza en la mesa. Y soñé un poco más con el campeonato de fútbol.

Soñé que yo era la única del Salón Uno que iba a patear la pelota.

Eso es porque el resto de los chicos del Salón Uno tenían las piernas rotas. Porque a veces suceden accidentes.

Así que yo era la única que participaba en el campeonato.

¡Y gané sin ayuda!

¡Era la estrella del Salón Uno!

Todos mis amigos gritaban y vitoreaban.

Entonces me abrazaron muy contentos.

Y me tiraron confeti en la cabeza.
Todos menos May.
May me tiró una papa.
La verdad es que no sé por qué.

2

Más golpes

Me quedé soñando durante un buen rato.
Creo que hasta ronqué un poco.

Y de repente, ¡PLAS!

¡El Sr. Susto dio unas palmadas!

Y te aseguro que ese ruido casi me
mata del susto.

Pegué un salto en la silla. ¡Y moví los
brazos como una loca!

¡Entonces mi mano chocó con el
diccionario!

Y ¡oh no! ¡Oh no!

¡El libro ese tan gordo se cayó por un lado

de la mesa! ¡Y aterrizó en mi dedo malo!

—¡AY! —grité muy alto—. ¡AY AY AY AY AY!

Me toqué el pie. Y empecé a llorar.

El Sr. Susto vino corriendo.

Envió rápidamente a Herbert a buscar a la enfermera y a traer un poco de hielo.

¡Y bravo por Herbert! ¡Porque trajo a esa mujer con él!

La enfermera se llama Sra. Weller.

La conocía de otros accidentes.

La Sra. Weller me dio unos pañuelitos de papel. Y puso una bolsa de hielo encima de mi dedo gordo.

La cosa esa pesaba mucho y estaba mojada.

Aparté el pie. Pero ella la volvió a poner.

—Por favor, Junie B. —dijo la Sra.

Weller—. Si dejas el hielo encima del dedo, te sentirás mucho mejor. Te lo aseguro.

Moví la cabeza muy rápido.

—No, de eso nada, Sra. Weller —le dije—. Eso no funciona. Porque ayer mamá me puso hielo encima del dedo y hoy me sigue doliendo. Y por eso he venido con sandalias a la escuela.

—Ay, pobrecita —dijo—. ¿Así que ya te habías hecho daño en este pobre dedito antes de venir a la escuela?

Yo suspiré.

—Sí —dije—. Me hice mucho daño, Sra. Weller. Porque ayer le di una patada a una vaca. Y no se imagina, esa cosa era dura como una roca.

La Sra. Weller puso una cara rara.

—¿Le... diste una patada a una vaca? —dijo muy bajito.

—Sí —dije—. Y la vaca estaba llena de agua. Y una vaca llena de agua ni siquiera se inmuta.

Después de eso, la Sra. Weller no supo qué decir. Y no me hizo más preguntas. Se quedó ahí sujetando la bolsa de hielo. Y murmuró algo para sí misma.

Todos los del Salón Uno estiraron el cuello para ver mi dedo.

Entonces, Shirley se levantó. Y dijo que sabía cómo me sentía. Porque una vez le dio una patada a un ladrillo sin querer. Y le dolió mucho.

Entonces Roger dijo que una vez él también se hizo daño en un dedo del pie. Porque el año pasado le dio una patada sin querer a un camión de los que arreglan refrigeradores.

Y además, un niño que se llama Sheldon dijo que el verano pasado, sin querer, chocó contra un árbol gigante. Porque su primo le dijo que era de goma.

—Pero no lo era —dijo Sheldon muy enojado—. Era de árbol. Y las puntas de mis dedos se pusieron moradísimas.

Después de eso, Sheldon puso un pie encima de la mesa. Y empezó a quitarse el zapato para mostrárnoslo.

El Sr. Susto levantó la mano.

—No, Sheldon, por favor. No es necesario —dijo.

Pero Sheldon se quitó rápidamente su zapato y su calcetín. Y movió los dedos en el aire.

—¿Lo ven todos? ¿Ven el pequeñito? El pequeñito todavía está un poco rojo por un lado —dijo—. ¿Ven?

Justo entonces, Sheldon echó la silla hacia atrás, sobre dos patas, para poder levantar más el pie.

Solo que peor para él. Porque, en menos de lo que canta un gallo, las patas de su silla se metieron hacia dentro.

Y *¡PUM!*

¡Se cayó! ¡Y se dio un golpe en la frente! ¡Igual que en su dedo pequeño!

La Sra. Weller apartó la bolsa de hielo de mi pie. Y se la puso a Sheldon en la cabeza.

Dijo que él tenía que acompañarla a su oficina inmediatamente.

¡Y no te lo vas a creer!

¡Sheldon ni siquiera lloró!

No protestó por la bolsa de hielo en la cabeza. Y se volvió a poner el calcetín y el zapato muy calmadamente. Y salió por la puerta con la Sra. Weller.

Y todos nosotros aplaudimos a ese chico tan valiente.

Sheldon sonrió al oírlo.

Se dio la vuelta.

Y *hizo* una reverencia.

Y la bolsa de hielo se le cayó de la cabeza.

3

Más malas noticias

Ese día, mamá vino a buscarme a la escuela. Dijo que nos llevaría a mí y a Sheldon a casa para que no tuviéramos que ir en autobús.

Fui hasta el estacionamiento cojeando un montón.

Sheldon seguía con la bolsa de hielo en la cabeza.

—Qué barbaridad. Vaya día han tenido en el Salón Uno —dijo mamá.

Sheldon suspiró.

—Los he tenido mejores —dijo.

Después de eso, los dos nos sentamos en el asiento de atrás. Y nos abrochamos el cinturón.

Sheldon bajó la ventanilla.

Mamá se dio la vuelta.

—Este... no sé, Sheldon —dijo—. Creo que va a entrar demasiado viento, ¿no crees?

—Me gusta el viento —dijo Sheldon—. El viento hace que mis cachetes se muevan.

Mamá lo miró durante un segundo.

—Está bien —dijo en voz baja.

Luego se dio la vuelta. Y arrancó el auto. Y salimos del estacionamiento.

Sheldon sacó la cabeza por la ventanilla para que le diera el viento.

Abrió la boca para que el viento moviera sus cachetes.

Los dos nos empezamos a reír.

Justo entonces tuvimos un problemita. Porque mamá tomó una curva un poco cerrada.

Y Sheldon echó la cabeza un poco para atrás.

Y ¡*FLAS!*

¡La bolsa de hielo salió disparada por la ventana!

Después de eso Sheldon se quedó muy quieto.

Al final cerró la ventanilla. Y dio unos golpecitos con los dedos en el asiento.

—Hoy no estoy teniendo un buen día —dijo.

Yo asentí.

Le di unas palmaditas en el brazo.

Porque a veces entiendo a ese chico perfectamente.

Por la noche, di un montón de vueltas

en la cama. Porque a mi dedo no le gustaba que lo tocara nada. Ni siquiera la sábana.

Y aquí va la peor parte.

Porque a la mañana siguiente, cuando me destapé, ¡TODA LA UÑA DEL DEDO DEL PIE ESTABA NEGRA!

¡Grité al ver aquella cosa tan horrible!

Mamá y papá vinieron corriendo.

—¡Junie B.! ¿Qué demonios pasa? —dijo mamá.

—¡MI DEDO! ¡ESO ES LO QUE PASA! ¡MI DEDO! —grité—. ¡MIRA! ¡MIRA! ¡MIRA!

Sujeté el pie para que mamá lo viera.

—Dios mío —dijo—. El médico dijo que pasaría esto. Tienes un hematoma en la uña.

Yo arrugué las cejas.

—¿Un hematoma? —dije—. ¿Eso es todo? ¿Un hematoma?

Mamá asintió.

—Sí, es solo un hematoma, Junie B. —dijo—. Pero creo que te va a doler unos días al ponerte el zapato.

Papá se sentó a mi lado.

—No te preocupes, mi amor —dijo—. En cuanto la uña crezca, volverá a lucir normal.

Señaló su pie descalzo.

—Mira mi pie. Me he dado muchos golpes en la vida. Pero siempre vuelve a quedar como nuevo. ¿Ves?

Lo miré y puse cara de asco.

El dedo gordo del pie de papá no es nada lindo.

Justo entonces, me salieron lágrimas en los ojos.

Me toqué el dedo con mucho cuidado.

—¡Ay! ¡Ay! ¡Ay! Me duele mucho más

que ayer —dije—. ¿Y ahora qué hago? Porque ni siquiera quiero ir a la escuela con sandalias. Porque las sandalias no protegen los pies y te puedes hacer daño.

Mamá pensó durante un minuto.

Luego fue a mi ropero. Y sacó mis zapatos rojos viejos. Y *hizo* un agujero en la parte de arriba con las tijeras.

Lo acercó para que lo viera.

—Tachán —dijo muy cantarina.

Y ¡ja! ¡No te lo vas a creer! ¡El agujero estaba justo donde iba a estar mi dedo malito!

Mamá me ayudó a ponerme los calcetines rojos. Luego metió mi pie en el zapato del agujero con mucho cuidado.

Y ¡sorpresa, sorpresa!

¡Ni siquiera me dolió mucho!

Después de desayunar, mamá me volvió a llevar a la escuela.

Solo que al principio, cuando llegué a mi salón, me daba un poco de vergüenza llevar un zapato con un agujero. Así que fui a mi sitio y se lo enseñé a mi amigo Herbert en privado.

¿Y sabes qué?

Que la cara de Herbert se iluminó.

—Una ventana —dijo—. Tienes una ventana en el zapato.

Me reí un poco con su comentario.

—Oye, sí —dije—. Una ventana para mi dedo malito.

Justo entonces, Sheldon entró corriendo en el Salón Uno.

Llevaba una curita roja en la frente.

Se puso delante del salón. Y la señaló con el dedo.

—¡Que nadie toque esto, por favor! —dijo muy alto.

Se dirigió al Sr. Susto.

—Aunque hoy he vuelto a la escuela, todavía no estoy bien del todo —dijo.

El Sr. Susto asintió.

—Tienes mucha razón, Sheldon. Puedo darme cuenta —dijo.

Sheldon siguió hablando.

—Creo que no debería jugar en el campeonato de fútbol del viernes —dijo—. Porque, ¿qué pasaría si estoy ahí... y la pelota viene rodando hacia mí... y rebota y me da en la curita... y me sale un chichón encima del chichón?

Tembló un poquito.

—Los dobles chichones duelen mucho —dijo.

El Sr. Susto lo miró.

—Tienes razón, Sheldon. Los dobles chichones duelen mucho —dijo—. Pero no te preocupes. De aquí al viernes seguro que se nos ocurre alguna cosa que puedas hacer en el campeonato.

Después de eso, el Sr. Susto me miró.

—Y tú tampoco te preocupes, Junie B. —dijo—. También se nos ocurrirá algo para que hagas tú también. ¿De acuerdo?

Yo levanté las cejas al oír aquello.

—Sí, pero no quiero hacer otra cosa, Sr. Susto —dije—. Yo quiero jugar al fútbol. He estado practicando mucho.

El Sr. Susto sonrió un poco triste.

—Sí, estoy seguro de que has practicado, Junie B. —dijo—. Pero tienes un golpe en el dedo. Y dudo que de aquí al viernes puedas dar patadas.

Me quedé sentada un minuto.

Porque no había pensado en eso.

De repente, sentí un peso grande en los hombros.

Puse la cabeza sobre mi mesa. Y me escondí bajo mi suéter.

Porque ya no iba a ser la estrella del campeonato de fútbol.

Y ese había sido el sueño más feliz de mi vida.

4

Opciones

Martes

Querido diario de primer grado:

Hoy el recreo no fue divertido.

Me senté en el patio.

Y me quedé mirando mi dedo malito por el ~~abujero~~ agujero de mi zapato.

Sheldon se sentó a mi lado.

Se pasó todo el rato apretando su curita roja y diciendo ¡AY!

Le dije que se ~~cayara~~ callara.

No estoy de buen ~~umor~~ humor.
                          De,
              Junie B. de primer grado

Cuando terminé de escribir, oí voces en la parte de delante del salón.

Miré en esa dirección.

Lucille estaba al lado de la mesa del Sr. Susto.

Camille y Chenille también estaban ahí.

Las tres estaban cotorreando a la vez.

El Sr. Susto se tapó los oídos.

Al final les dijo basta, basta, basta. Y les hizo una señal para que volvieran a sus asientos.

Después de eso, el Sr. Susto se puso de pie.

—Niños y niñas, me acabo de enterar de que no todos los del Salón Uno quieren participar en el campeonato de fútbol —dijo.

Miró de reojo a Camille y Chenille.

—Parece ser que dos de sus compañeras prefieren ser animadoras —dijo—. Y otra prefiere ser...

Esta vez miró de reojo a Lucille.

—La reina del partido.

Lucille se levantó de un salto.

—No, no, ¡princesa! —gritó—. ¡Quiero ser la princesa del partido, Sr. Susto! ¡No la reina! Las princesas son más monas que las reinas. Además, las princesas no son viejas.

Nos miró a todos y se acicaló.

—Esperen a que me vean todos. Voy a estar en una tarima lindísima hecha de pétalos de rosas rosadas —dijo—. Y habrá un trono dorado para que me siente.

Miró alrededor del salón.

—Chicas, a lo mejor alguna de ustedes quiere ser mi ayudante —dijo—. Pero mi nana las tiene que ver antes.

El Sr. Susto se acercó al lavabo de la parte de atrás. Y se tomó una aspirina.

Todos los del Salón Uno empezaron a hablar sobre Lucille.

Entonces algunos chicos comenzaron a hablar de cosas que les gustaría hacer en el campeonato.

—¡Oye! A lo mejor yo puedo ser el comentarista y usar un micrófono —dijo Roger—. ¡Y después del partido puedo echarles refresco en la cabeza a los ganadores!

—Sí —dijo Shirley—. ¡Y yo podría vender barras de cereal! Mi mamá dice que son muy saludables.

Justo entonces, habló May.

—¡Y yo puedo controlar a las masas! —gritó—. Porque ya tengo una insignia en casa. Y todo lo que necesito es un palo para empujar a la gente. Y una máscara de gas.

El Sr. Susto se tomó otra aspirina.

Entonces volvió a su mesa. Y respiró profundamente.

—Está bien. Esto es lo único que puedo hacer por ustedes —dijo—. Le daré a todo el mundo dos opciones. Pueden jugar en el partido como parte del equipo o pueden ser animadores. Pero nada más. Esa es mi mejor oferta.

Lucille se puso de pie en su sitio. Se arregló el vestido muy enojada y luego se volvió a sentar.

Después de eso, Sheldon también se levantó. Y señaló su curita.

—¿Y qué va a pasar con esto, Sr. Susto? ¿Se ha olvidado de mi lesión? —preguntó—. Yo no puedo jugar el partido, ¿recuerda? Y animar es de chicas.

El Sr. Susto frunció el ceño.

—En realidad, Sheldon, eso no es cierto. Hay muchas universidades que tienen animadores varones —dijo—. Pero como tanto tú como Junie están lesionados, dejaré que elijan lo que quieran hacer para el campeonato. ¿De acuerdo? Me parece justo.

Sheldon se sintió aliviado.

—¡Sí! —dijo—. ¡Esperaba que dijera eso! ¡Porque ya sé lo que voy a hacer!

Rápidamente se subió a su silla y lo anunció.

—¡Voy a hacer un show durante el descanso! —gritó.

El Sr. Susto lo agarró y lo puso de vuelta en su asiento.

—¿Un show durante el descanso? —preguntó con curiosidad.

Sheldon asintió muy rápido.

—¡Sí! ¡Sí! ¡Sí! —dijo—. ¡Porque mi papá tocaba los platillos en la banda de su escuela! Y me ha enseñado a hacerlo. ¡Y además, todavía tiene el uniforme de la banda! ¡Y mi mamá lo puede arreglar para mí! ¡Y entonces puedo marchar y tocar los platillos como un profesional!

Sheldon empezó a dar palmadas.

—¡Y espere! ¡Eso no es todo! ¡A lo mejor también puedo cantar! Porque en Navidad aprendí varias canciones. ¡Y mi papá dice que casi no desafino!

El Sr. Susto sonrió.

—¿Sabes qué, Sheldon? Que creo que es una buena idea —dijo—. De hecho, creo que un poco de entretenimiento durante el descanso sería excelente.

Sheldon aplaudió más.

—¡Bravo! ¡Empezaré a practicar en cuanto llegue a casa! —dijo.

El Sr. Susto volvió a sonreír.

Entonces levantó las cejas. Y me miró.

—Bien, Junie B. ¿Y tú qué quieres hacer? Si Sheldon presenta un espectáculo durante el descanso, ¿te gustaría participar? —preguntó—. Seguro que no es demasiado difícil tocar un instrumento con ese dedo malo. Y seguro que a Sheldon le gustaría tener a alguien más en la banda.

Yo gruñí.

Entonces volví a poner la cabeza en la mesa.

Y me volví a tapar con el suéter.

5

Limonada

Después de la escuela, el Sr. Susto llamó a mamá al trabajo. Y le dijo que yo estaba decepcionada con el campeonato.

Así es como mamá me hizo mi cena favorita de espaguetis con albóndigas. Y además, ella y papá intentaron ser superamables conmigo.

—Sé que estás disgustada por no poder participar en el campeonato de fútbol —dijo mamá—. Pero todo el mundo se lleva decepciones en la vida, mi amor.

Yo seguía de mal humor.

—Odio las decepciones. Las odio —dije.

Papá me dio unas palmaditas.

—Sí, a nadie le gusta tener decepciones, Junie B. —dijo—. Pero el Sr. Susto dijo que podías hacer otra cosa en el campeonato.

Yo refunfuñé.

—Odio ese campeonato tonto. Lo odio —dije.

Papá me miró con los ojos chiquititos.

Me dijo que dejara de decir la palabra odio.

—Odio decir odio. Lo odio —dije.

Después de eso, papá me levantó y me llevó castigada a mi cuarto.

Supongo que me lo gané.

Esperé hasta que se fue.

—Odio los castigos. Los odio —le susurré a mi elefante de peluche que se llama

Felipe Juan Bob.

"Yo también los odio, Junie B. —me contestó—. Odio todo lo que tú odias. Tú y yo odiamos exactamente las mismas cosas".

Lo abracé fuerte.

Me encanta el tipo ese.

Después de eso, los dos nos quedamos tumbados en la cama. Y nos calmamos.

Al poco rato, mamá vino a buscarme. Y me volvió a llevar a la mesa.

No le hablé a papá.

Y además, tampoco le hablé a mi hermano bebé que se llama Ollie. Porque él recién está aprendiendo a hablar. Y no para de decir *muuu*.

Mamá intentó volver a ser amable.

—¿Estás segura de que no te gustaría ser animadora, Junie B.? —dijo—. Sé que no podrías saltar con el dedo así. Pero podrías gritar y animar a tu equipo.

Papá sonrió.

—Y eso de gritar y animar se te da de lo más bien —bromeó.

Yo no me reí con su broma.

Papá me dio un golpecito.

—Vamos, no seas así —dijo—. Ser animadora no estaría nada mal, ¿no? Todas las chicas quieren ser animadoras.

Yo puse los ojos en blanco.

—Pero yo no soy como todas las chicas, papá. Yo soy yo, Junie B. Y no quiero ser animadora. Quiero jugar al fútbol.

Justo entonces, mi nariz empezó a moquear mucho.

—Hasta soñé con eso —dije—. Era la estrella del campeonato. Y era maravilloso. Solo que ya no va a pasar nunca.

Mamá me abrazó.

—Bueno, no se puede ser la estrella todo el tiempo —dijo—. Como dije antes, todo el mundo se lleva decepciones en algún momento.

—Así es —dijo papá—. Y cuando la vida te da limones, tienes que aprender a hacer limonada.

Lo miré con cara rara.

—¿Qué? —dije—. ¿Qué tiene que ver la limonada con todo esto?

Mamá sonrió.

—Es una expresión, Junie B. —dijo—. Quiere decir que cuando la vida se pone un poco ácida, tienes que encontrar la manera de endulzarla.

Justo entonces, papá fue al refrigerador y sacó tres limones.

—Mira. Te lo voy a demostrar —dijo.

Sujetó los limones para que yo los viera.

—¿Ves lo que tengo aquí? —dijo—. Son solo tres limones ácidos, ¿verdad?

Yo levanté los hombros.

—Supongo.

Papá sonrió.

—Ahhh... pero a lo mejor estos limones son más divertidos de lo que parecen —dijo.

Entonces, lanzó los limones al aire de

uno en uno.

Y ¡YUPI YUPI YEI!

¡EMPEZÓ A HACER MALABARISMO!

¡De verdad!

¡Eso fue lo que hizo!

¡Mi papá hizo malabarismo y lanzó los limones muy alto en el aire! ¡Y yo ni siquiera sabía que tenía ningún talento!

Yo aplaudí y aplaudí emocionada.

Ollie también aplaudió.

Y también dijo *muuu*.

Después todos nos empezamos a reír.

Y papá hizo una reverencia.

—¿Entiendes ahora lo que quiero decir? —preguntó—. Convertí tres limones en algo divertido.

—Y tú puedes hacer lo mismo, Junie B. —dijo mamá—. Solo tienes que pensar en algo divertido para hacer el día del campeonato. Y así tu situación también pasará a ser divertida. ¿Entiendes?

Yo asentí muy rápido.

—¡Sí, mamá! ¡Lo entiendo! —dije—. ¿Y sabes qué más? ¡Que creo que ya sé lo que voy a hacer!

Bajé de mi silla de un salto y agarré los limones del mostrador.

—¡Creo que voy a hacer malabarismo! —dije contenta—. ¡Haré malabarismo durante el descanso, durante el show de Sheldon! ¡Y todo el mundo aplaudirá y me animará! ¡Y seré la estrella de toda la producción!

Después de eso, me quedé en medio de la cocina, como había hecho papá.

Y lancé los limones al aire de uno en uno.

Los miré detenidamente.

Pero peor para mí. Porque dos de ellos

cayeron en la mesa. Y el otro le dio a Ollie en la cabeza.

Empezó a llorar.

Yo le di palmaditas rápidamente.

Luego agarré los limones y me fui corriendo a mi cuarto.

Porque parece ser que para hacer malabarismo voy a tener que practicar un poco.

¡Y solo faltaban tres días para el viernes!

6

Prácticas

Miércoles

Querido diario de primer grado:

Anoche papá me ayudó a practicar ~~malavarismo~~ malabarismo.

Yo tiraba los limones al aire. Y ellos no paraban de despachurrarse en el suelo.

Al final, me ~~fustré~~ frustré. Y los tiré lo más alto que pude.

El primero rompió la luz del techo.

El otro ~~caltó~~ _cayó_ encima de mi
muñeco de trapo Andy que se
llama Larry.
Los limones no son tan fáciles.
Solo quedan dos días para el
viernes.
Estoy nerviosa.
De,
Junie B. de primer grado

En cuanto terminé de escribir, el Sr. Susto
fue a la parte de delante del salón. Y nos
pidió que guardáramos los diarios.

—Niños y niñas, tengo que decirles
algunas cosas más sobre el campeonato del
viernes —dijo—. Por un lado, los recreos
de hoy y mañana serán más largos para

poder prepararnos.

Miró alrededor del salón.

—Los que van a jugar en el equipo practicarán en el campo de fútbol. Y los

que van a ser animadores practicarán a los lados del campo —nos dijo.

Camille y Chenille saltaron de sus asientos.

—¡Sr. Susto! ¡Sr. Susto! ¡Tenemos buenas noticias! —dijo Camille.

—¡Sí, es verdad! —dijo Chenille—. Nuestra mamá era animadora en la universidad y anoche ¡nos enseñó canciones para animar a los jugadores!

—¡Así es! —dijo Camille—. ¡Así que Chenille y yo se las podemos enseñar a las otras niñas!

El Sr. Susto sonrió complacido.

—¡Esas son noticias excelentes, chicas! —dijo—. Las pondré a cargo de enseñar las canciones. Así tendré más tiempo para trabajar con el equipo de fútbol y el espectáculo.

Miró en mi dirección.

—Oh... y hablando de eso, ¿ya has decidido lo que vas a hacer, Junie B.?

Empecé a asentir muy alegre.

Pero de repente, me detuve.

Porque ¿qué pasaría si le dijera a todo el Salón Uno que iba a hacer malabarismo y no consigo aprender de aquí al viernes?

Entonces algunos niños me dirían *BUUU*. Y otros se reirían un montón.

Di golpecitos en la mesa muy *piensadora*.

PERO, por otro lado, a lo mejor les podía contar a todos la verdad. Porque mamá dice que lo mejor es decir siempre la verdad. Solo que eso no es verdad, claro. Pero a lo mejor, por una vez, decir la verdad era lo más fácil.

—¿Junie B.? —volvió a preguntarme el maestro.

Me levanté de mi asiento. Y miré a todos los del Salón Uno a los ojos.

—Está bien, esta es la verdad —dije—. Estoy intentando aprender a hacer malabarismo para el descanso del partido. Pero no se hagan ilusiones, amigos. Porque a lo mejor no consigo aprender. Y entonces, si no hago malabarismo, no se pueden reír ni decir *buu*. Y lo digo en serio.

Me volví a sentar rápidamente.

Lennie y Herb se dieron la vuelta.

—¡Guau! ¿Estás aprendiendo a hacer malabarismo? —dijo Lennie—. ¡Genial!

—Sí, es genial —dijo Herbert—. Ojalá yo supiera.

May puso los ojos en blanco.

—Yo no —dijo—. ¿Qué tiene de divertido tirar cosas en el aire? Y además, el malabarismo es para el circo.

¿Quién hace malabarismo en un campeonato de fútbol?

Yo arrugué las cejas muy seria.

—Ummm... esa es una buena pregunta, May. Déjame pensar —dije.

Entonces me acerqué a su cara.

—¡YO! ¡PARA QUE TE ENTERES! —dije.

Lennie y Herb se rieron mucho.

Después Sheldon me miró. Y levantó un pulgar para decirme "bien hecho".

Yo sonreí.

Porque ¿sabes qué?

Esta vez la verdad funcionó bien.

7

Diversión conmigo y con Sheldon

En el recreo, el Sr. Susto empezó a entrenar al equipo de fútbol.

Después se acercó a Sheldon y a mí y nos ayudó con el espectáculo que haríamos durante el descanso.

Primero me dio un pedazo de madera de la clase de música. Y también me dio una baqueta.

—Si golpeas este pedazo de madera mientras marchas, tú y Sheldon podrán marchar al mismo ritmo —dijo.

Yo sonreí muy contenta. Porque golpear cosas se me da muy bien.

Golpeé la cosa esa con mi baqueta.

Entonces, Sheldon hizo sonar los platillos.

Y ¡ja! ¡La música sonaba muy bien!

Después de eso, el Sr. Susto nos dijo que nos pusiéramos en fila detrás de él. Y entonces los tres marchamos por todo el patio.

¿Y sabes qué? Que mi pedazo de madera hizo que fuéramos todos al mismo ritmo.

Al cabo de un rato, fuimos marchando hasta un micrófono que estaba en una base sobre la hierba.

—Aquí es donde vas a cantar, Sheldon —dijo el Sr. Susto—. Cuando cantes con el micrófono, toda la audiencia te podrá oír.

El Sr. Susto sonrió.

—Todavía no lo vamos a encender, pero aun así puedes practicar tu canción. ¿De acuerdo?

—¡Sí! —dijo Sheldon emocionado.

Entonces se puso muy tieso y estirado.

Caminó hacia el micrófono y empezó a cantar:

—¡Navidad, Navidad! ¡Dulce Navidad!

Tocaba los platillos mientras cantaba.

Sonaba muy bien. Más o menos. Pero el Sr. Susto no parecía estar de acuerdo.

Levantó la mano.

—Esteeee... espera un segundo, Sheldon —dijo—. ¿Puedes dejar de cantar durante un minuto?

Sheldon paró.

El Sr. Susto se acercó al micrófono.

—Mira, Sheldon, esa canción de Navidad es muy linda —dijo—. Y la estabas cantando muy bien. Pero el problema es que... no estamos en Navidad, ¿sabes? Me pregunto si te sabes otra canción.

Sheldon pensó durante un minuto.

—Me sé una de los Reyes Magos. ¿Quiere que la cante? —preguntó.

El Sr. Susto se pasó la mano por el pelo, parecía cansado.

—Lo que pasa es que con esa tenemos más o menos el mismo problema —dijo.

El Sr. Susto se agachó hasta él.

—¿No sabes ninguna canción que no sea de Navidad? —preguntó—. O a lo mejor tienes otro talento, Sheldon. ¿A lo mejor sabes silbar? ¿O hacer un truco de magia?

Sheldon pensó más.

—Puedo hacer pompas de leche con la nariz —dijo—. Pero eso solo pasa cuando me atraganto con la leche.

El Sr. Susto se puso las dos manos en la cabeza. Creo que le estaba dando otro dolor de cabeza.

Entonces, de repente, a Sheldon se le iluminó la cara.

—¡Oiga! ¡Espere! ¡Me acabo de acordar de otra canción que puedo cantar! —dijo—. ¡Cumpleaños Feliz, Sr. Susto! ¡Me sé la letra de Cumpleaños Feliz! ¡Y esa no es de Navidad!

Mi maestro se quedó quieto un minuto.

Luego asintió con la cabeza. Y dijo que Cumpleaños Feliz estaría muy bien.

Sheldon volvió a empezar su actuación.

Cantó la canción y tocó los platillos de maravilla.

Cuando terminó, dio una voltereta.

No sé por qué.

¡Y bravo! ¡Bravo! ¡Había llegado mi momento!

Puse el pedazo de madera en el suelo. Luego metí la mano en el bolsillo y saqué mis limones imaginarios. Después, pretendí que hacía malabarismo.

Pretender hacer malabarismo es mucho más fácil que hacerlo de verdad.

Di saltos y piruetas y bailé.

El Sr. Susto y Sheldon aplaudieron un montón.

Yo hice una reverencia.

Entonces recogí mi pedazo de madera y le pegué golpes con la baqueta. Y yo y Sheldon salimos marchando del campo de fútbol.

Saltamos muy alegres y chocamos los cinco.

Entonces Sheldon me levantó e intentó darme vueltas. Pero no era lo suficientemente fuerte. Así que en realidad, solo me arrastró.

Se le puso la cara roja y sudorosa.

Me puso en el suelo y se limpió la cara con la manga.

—¡Oye, pesas una tonelada! —dijo.

Sonreí.

Me gusta este chico tan raro.

De verdad me gusta.

8

■ ■ ■ ■ ■ ■ ■ ■ ■ ■

Descanso

Jueves

Querido diario de primer grado:

Ayer cuando llegué a casa, papá me estaba esperando.

Y ¡ja! ¡Me había comprado un libro de hacer malabarismo!

Era para chicos de seis años para arriba. Y seis años para arriba es mi edad EXACTA.

Papá y yo leímos cada página

con mucho cuidado.

Entonces seguí las instrucciones del libro. Paso a paso.

¿Y sabes qué?

Que cuando terminé, ¡SEGUÍA SIN PODER HACER MALABARISMO!

Me estoy hartando de esta tontería.

Papá dijo que a lo mejor aprendo mañana.

Ese hombre se engaña a sí mismo.

Esto es un desastre.

De,

Junie B. de primer grado

Cerré mi diario y me pasé el resto de la tarde mirando el reloj. Porque quería ir a casa y practicar un poco más.

Papá vino a casa después del trabajo para ayudarme. Intentó enseñarme a hacer malabarismo durante horas y horas.

Solo conseguí hacerlo con dos limones.

Cuando lo haces con dos limones, solo los tiras al aire y los coges.

Mañana no voy a la escuela.

De verdad.

Viernes

Querido diario de primer grado:

Estoy en la escuela.

No sé qué salió mal.

Porque esta mañana le dije a mamá que me había roto una pierna.

Y cojeé por toda la casa.

Pero un rato después estaba en el autobús.

Llevo puesto el disfraz que me hizo mi mamá para el numerito.

Hizo el gorro con una caja de cereal.

Parezco una tonta.

De,

Junie B. de primer grado

Miré por todo el salón.

Todos los chicos del Salón Uno estaban muy monos.

Los jugadores de fútbol llevaban sus camisetas rojas y blancas que decían: "¡SOMOS EL (SALÓN) NÚMERO UNO!".

Las animadoras también iban a juego. Tenían faldas rojas y suéteres blancos.

Miré a Sheldon.

La chaqueta de la banda de su papá era demasiado grande. Y el sombrero le tapaba hasta las orejas.

También parecía un tonto.

Apoyé mi cabeza en la mesa muy triste.

Mi caja de cereal se cayó al piso.

May empezó a reírse.

—Espero que eso no te pase cuando estés haciendo malabarismo, Junie Jones —dijo muy engreída.

Levantó las cejas.

—Vas a hacer malabarismo, ¿verdad?

No le contesté a la chica esa.

Giré la cabeza hacia la pared. Y cerré los ojos. Y deseé ser invisible.

Lo deseé con todas mis fuerzas.

Entonces, por fin volví a abrir los ojos. Y me giré para ver a May. Y le saqué la lengua.

Ella me sacó la lengua a mí.

Suspiré.

Malas noticias.

No era invisible.

A las diez en punto fuimos al campo de fútbol.

Allí había tropecientosmil millones de padres.

Mamá y papá estaban sentados en la primera fila de las gradas. El abuelo y la abuela Miller estaban a su lado. Tenían en los brazos a mi hermano Ollie.

Ollie decía *muuu*.

Todos me saludaron.

Yo no les devolví el saludo.

Porque todavía estaba intentando ser invisible.

Yo y Sheldon nos sentamos juntos.

Él miró a la gente de las gradas y se dio la vuelta rápidamente. Y se puso el sombrero de su traje de banda en la cabeza. Y le entró una risa de loco.

—Por favor, deja de hacer eso —dije—. Estás llamando la atención.

Sheldon se puso un platillo en la cabeza.

Yo puse los ojos en blanco. Luego escondí la cabeza en mi falda. Y no miré a los jugadores.

Estaban jugando dos partidos a la vez.

El Salón Uno jugaba contra el Salón Dos. Y el Salón Tres jugaba contra el Salón Cuatro.

Oí a las animadoras animando el partido.

El Salón Uno estaba ganando. Creo.

Escuché a las animadoras durante mucho tiempo.

Entonces, de repente, oí mucha gente silbando y gritando.

Miré a ver qué pasaba.

Y ¡oh no! ¡Oh no!

¡El Salón Uno había ganado el primer partido! ¡Y había llegado el momento del descanso!

El Sr. Susto vino a buscarnos.

Intenté esconderme detrás de Sheldon. Pero el Sr. Susto ya me había visto.

Dijo que era normal que estuviera nerviosa. Pero que me tenía que relajar y pasarlo bien.

—Este va a ser un día que nunca

olvidarás —me dijo.

Me entró un escalofrío.

—Sí, eso es justo lo que me pone nerviosa —dije.

Después de eso, el Sr. Susto nos llevó a mí y a Sheldon de la mano hasta el campo de juego.

Sentía las piernas como serpentinas.

El Sr. Susto fue hasta el micrófono y *hizo* la presentación.

—Hola y bienvenidos a nuestro campeonato de fútbol —dijo—. Mientras los Salones Uno y Cuatro descansan para el último partido del campeonato, dos de mis alumnos van a presentar un numerito muy especial.

Nos guiñó el ojo a Sheldon y a mí.

—¡Señoras y señores, niños y niñas, es un honor presentarles al genio musical

Sheldon Potts y a la talentosa Junie B. Jones!

En cuanto terminó, nos señaló a mí y a Sheldon. Y nos hizo una señal para que empezáramos.

Sheldon se quedó de piedra.

No se movió.

Yo lo miré a la cara.

Estaba blanco como el papel.

El Sr. Susto vino corriendo. Y le dio un golpecito a Sheldon.

—Está bien. ¡Vamos! ¡Vamos! ¡Vamos! —dijo—. ¡Empiecen!

Muy despacio, levanté mi pedazo de madera y le di muy flojito con la baqueta.

Tap.

—Más fuerte —dijo el Sr. Susto—. Tienes que tocar más fuerte, Junie B. Y con un poquito de ritmo, ¿está bien?

Tomé aire con fuerza.

Tap... tap... tap.

El Sr. Susto asintió.

—¡Eso es! ¡Mucho mejor! —dijo.

Tragué con fuerza.

¡TAP! ¡TAP! ¡TAP!

El Sr. Susto levantó los dos pulgares.

—¡Eso es, Junie B.! ¡Eso es! —dijo—. ¡Sigue así!

Yo seguí así...

¡TAP! ¡TAP! ¡TAP! ¡TAP! ¡TAP! ¡TAP! ¡TAP! ¡TAP! ¡TAP! ¡TAP! ¡TAP! ¡TAP!

Al poco rato, ¡mis pies también empezaron a moverse! ¡Y me llevaron al medio del campo!

Miré detrás de mí.

Sheldon seguía sentado.

Tenía la cara todavía más blanca.

Fui corriendo hasta él y lo tiré de la manga.

—¡Vamos, Sheldon! ¡Vamos! —dije.

Sheldon se tiró en el césped.

—¡No, no! ¡No puedo! ¡No puedo! —dijo.

Yo le mostré un puño.

—¡Sí, claro que puedes, Sheldon! ¡Tienes que hacerlo! ¡Tienes que hacerlo! ¡Toda esta tontería fue idea tuya! ¡Y yo NO pienso hacerlo sola!

Después de eso, lo ayudé a levantarse. Y lo arrastré hasta el campo.

¡Y entonces pasó lo peor de todo!

¡Porque todos los del Salón Dos empezaron a reírse de nosotros!

¡Y era la risa más mala que jamás había oído!

Sheldon se quedó paralizado.

Se quedó como una estatua. Y no se movía.

Pero de repente, ¡*CRAS!*

Tiró los platillos al suelo.

¡Y salió corriendo rápido como un bólido!

Una de las maestras salió corriendo detrás de él. Pero Sheldon corría cada vez

más rápido.

Corrió detrás de los columpios.

Y dio la vuelta por las barras paralelas.

Y siguió corriendo y corriendo hasta que llegó a la parte de atrás de la escuela.

¿Y sabes qué?

Que nunca volvió.

9

Plaf

Los del Salón Dos se rieron incluso más alto.

Los del Salón Tres y Cuatro también se rieron.

¡No soporto ese ruido!

¡Lo odio!

Los ojos se me llenaron de lágrimas. Me empezó a salir líquido por la nariz.

Bajé la cabeza para que nadie me viera.

Y ¡ja!

¡En ese momento los vi!

¡Los platillos de Sheldon!

¡Seguían tirados en la hierba, al lado de mis pies!

Los recogí rápidamente. Y empecé a tocar para no oír la risa.

Y funcionó. Te lo aseguro. ¡No podía oír las risas para nada!

Así es como seguí tocando una y otra vez, hasta que se me cansaron los brazos.

¿Y sabes qué?

Cuando dejé de tocar, nadie se estaba riendo.

Me sentí mejor.

Es muy divertido tocar los platillos.

Después de eso, me quedé en medio del campo. Y me moví hacia delante y hacia atrás sobre mis pies, muy *piensadora*. Porque no sabía qué hacer.

Justo entonces, oí un grito.

—¡QUÉ ROLLO! —gritó una voz.

—¡NO TE QUEDES AHÍ! ¡HAZ ALGO! —gritó otra voz.

Miré hacia arriba. Una maestra se estaba llevando a los chicos que me habían gritado.

Pero era demasiado tarde.

Mis ojos se llenaron nuevamente de lágrimas.

El Sr. Susto se estaba acercando.

Mi cerebro estaba en estado de pánico. Porque este era el numerito más tonto que había visto en mi vida.

Los niños empezaron a reírse otra vez. Creo que se iban a reír de mí durante el resto de sus vidas.

Entonces, de repente, mis ojos divisaron el micrófono de Sheldon.

¿Y sabes qué? Que se me ocurrió una brillante idea.

Y se llama: oye, a lo mejor puedo cantar una canción, como iba a hacer Sheldon.

Sonreí mucho.

¡Eso es! ¡Eso es!

Podía cantar "Seguro que sale el sol mañana", del musical *Annie*. Porque me chifla esa canción.

Corrí hasta el micrófono.

Entonces, abrí la boca para cantar. Pero lo que pasa es que no me acordaba de cómo empezaba la canción.

El Sr. Susto se acercaba más.

Mi cerebro entró en más estado de pánico.

Entonces, de repente, oí un *¡PLAF!*

Miré hacia abajo.

Algo había aterrizado en el suelo cerca de mis botas.

Miré más de cerca.

Era una galleta. Creo.

¡PLAF, PLAF, PLAF!

Dos galletas más. Y una ciruela.

Después hubo más alboroto en las gradas.

Y dos chicos más salieron arrastrados por sus maestras.

Fue en ese momento cuando lo entendí.

¡En ese momento entendí que esos chicos malos me habían lanzado comida!

¡Y lanzarte comida es el peor insulto que pueden hacerte!

Al principio, me puse roja como un tomate.

Pero luego empecé a sentirme enojada.

Y más enojada...

Y más enojada...

¡Hasta que recogí las galletas!

¡Y me disponía a lanzarlas de vuelta!

Pero mi cerebro, de pronto, cambió de opinión.

Y en lugar de lanzarlas, puse dos de las galletas en mi mano derecha.

Y sujeté la otra en mi mano izquierda.

¡Y las lancé al aire! ¡Una por una! Exactamente como decía mi libro.

Y entonces, ¡SUCEDIÓ MAGIA! ¡DE VERDAD!

¡Realmente sucedió!

Porque durante unos segunditos, ¡conseguí hacer malabarismo con las galletas!

¡Lo hice perfecto!

¡Y las recogí todas!

Recogí esas tres cosas llenas de migas.

¡Y entonces toda la gente que estaba en las gradas empezó a aplaudir y a aplaudir!

Y luego siguieron aplaudiendo mucho
más.

Y ese sonido era mucho mejor que cualquier sueño que hubiera tenido jamás.

Hice una reverencia.

La gente siguió aplaudiendo.

Hice otra reverencia.

Luego recogí los platillos de Sheldon.

Y salí marchando del campo.

¿Y sabes qué?

Que fue el momento del que me he sentido más orgullosa en toda mi vida.

El resto del día fue un placer.

Tuvimos una fiesta. Y sonreí hasta que me dolieron los cachetes.

Además, escribí en mi diario.

Viernes por la tarde
Querido diario de primer grado:
¡Ganamos el campeonato!

¡El Salón Uno ganó el campeonato de fútbol!

Así que ¡yupi, yupi! ¡El Sr. Susto nos dejó seguir con la fiesta todo el resto del día!

¿Y sabes qué?

Encontraron a Sheldon detrás de un arbusto. Porque parese parece ser que se asustó. Pero al final se calmó él solo. Y ahora vuelve a ser el loco de siempre.

¿Y sabes qué más? Ni siquiera estoy enojada con él por salir corriendo.

Porque si Sheldon no hubiera salido corriendo, probablemente nunca habría hecho malabarismo.

Mamá y papá me abrazaron en la fiesta. Y papá me dijo que había convertido las galletas en limonada. Y que eso es increíble. ¡Y es verdad!

¡Y mamá dijo lo mejor de todo! ¡Dijo que hoy yo había sido una ESTRELLA!

Y me encantó oír eso.

SÍ.

Me gustó muchísimo.

De,

Junie B. de primer grado.

ESTRELLA

■ ■ ■ ■ ■ ■ ■ ■ ■ ■

BARBARA PARK es una de las autoras
más divertidas y famosas de estos tiempos.
Sus novelas para secundaria, como
Skinnybones (Huesos delgados), *The Kid
in the Red Jacket* (El chico de la chaqueta
roja), *My Mother Got Married (And
Other Disasters)* (Mi madre se ha casado
y otros desastres) *y Mick Harte Was Here*
(Mick Harte estuvo aquí) han sido
galardonadas con más de cuarenta premios
literarios. Barbara tiene una licenciatura
en educación de la universidad de
Alabama. Tiene dos hijos y vive con su
marido, Richard, en Arizona.

DENISE BRUNKUS ha ilustrado más de
cincuenta libros. Vive en Nueva Jersey con
su esposo y su hija.